CA
ACC. No: 06010324

Creigiau Croch
Riff Siarcod
Trobwll Trwbwl
Llain y Llaid
Coed Corryn
Bae'r Trysor
Bae'r Ogof
Parc y Parot
Cei Broc Môr
Pentre Penglog
YNYS PENGLOG

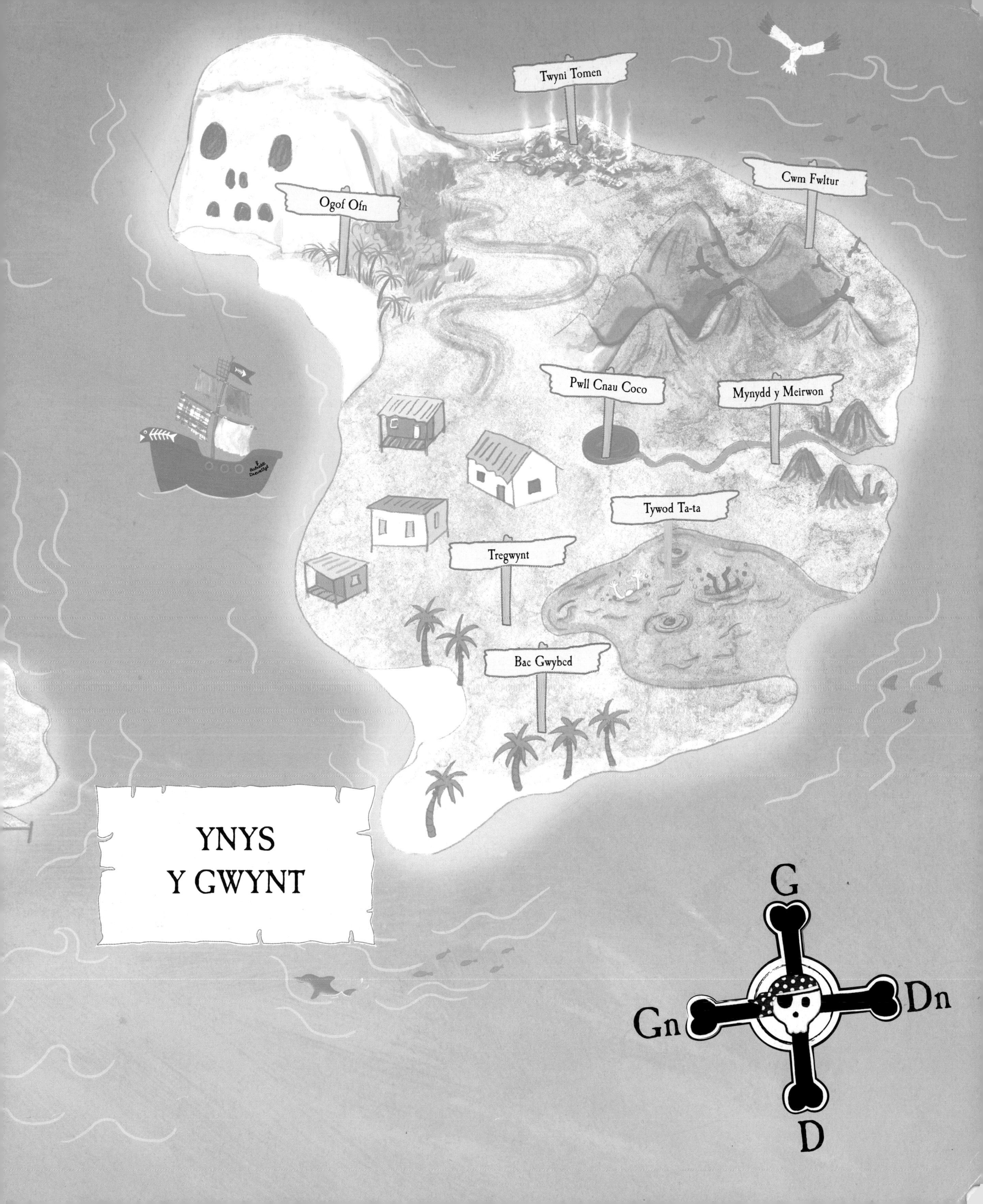
Twyni Tomen
Ogof Ofn
Cwm Fwltur
Pwll Cnau Coco
Mynydd y Meirwon
Tywod Ta-ta
Tregwynt
Bae Gwybed
YNYS
Y GWYNT
G
Gn
Dn
D

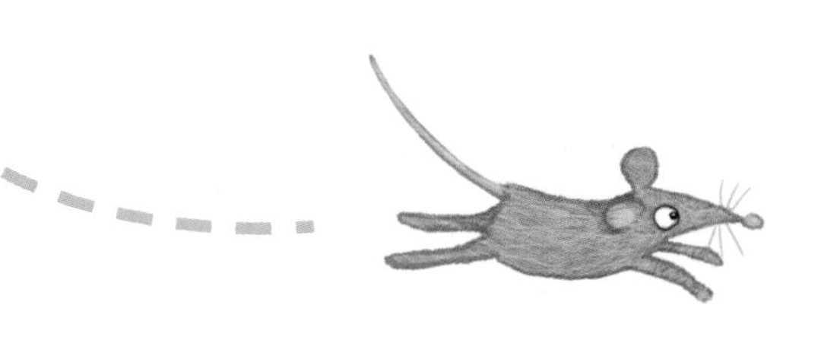

Cyhoeddwyd gan Rily Publications Ltd 2014
Rily Publications Ltd, Blwch Post 20, Hengoed CF82 7YR
Hawlfraint yr addasiad © Rily Publications Ltd 2014
www.rily.co.uk

ISBN 978-1-84967-194-1

© Testun: Richard Dungworth
© Lluniau: Sharon Harmer
Addasiad: Tudur Dylan Jones

Gan mai stori ar ffurf mydr ac odl yw hon, addasiad yn hytrach na chyfieithiad yw'r testun Cymraeg.
As this is a story with rhyming text, the Welsh text is an adaptation rather than a translation.

Cyhoeddwyd yn wreiddiol yn Saesneg yn 2014 gan Ladybird Books Ltd o dan y teitl *Five Minutes to Bed!*
© 2014 Ladybird Books Ltd.

Cyhoeddwyd gyda chymorth ariannol Cyngor Llyfrau Cymru.

Cedwir pob hawl. Ni chaniateir atgynhyrchu unrhyw ran o'r cyhoeddiad hwn na'i gadw mewn cyfundrefn adferadwy na'i drosglwyddo mewn unrhyw ddull na thrwy unrhyw gyfrwng, electronig, mecanyddol, llungopïo, recordio, nac fel arall, heb ganiatâd ymlaen llaw gan y cyhoeddwyr.

Agraffwyd yn China

Richard Dungworth ★ Sharon Harmer

Addasiad Tudur Dylan Jones

Siglai cwch y môr-ladron dewr
wrth i'r haul ddiflannu'n dawel,
a phawb oedd arni'n clywed gwaedd,
a rhywun yn bloeddio'n uchel ...

"AMSER GWELY,
blantos!"

“Ond Capten, y mae cwsg mor bell,
ry’n ni’n forwyr dewr, chi’n deall –
y criw môr-ladron gorau sydd!
Dim ond pum munud arall.”

"Heb flino?" gwaeddodd y Capten bach.
"Dyna y'ch chi'n ei ddweud?
Pum munud arall, a dyna ni,
mae llawer o waith i'w wneud.

Rhaid trwsio'r mast
a'r holl hwylbrenni,
heb anghofio
bod dec i'w olchi."

Siglai cwch y môr-ladron dewr
wrth i'r awyr ddechrau duo,
a phawb oedd arni'n clywed gwaedd
y pen fôr-leidr eto ...

"AMSER GWELY, blantos!"

Rhaid trwsio'r

a'r hwyliau

mae pren i'w b

a llygod i'w

"Ond Capten, y mae cwsg mor bell,

ry'n ni'n forwyr dewr, chi'n deall –

y criw môr-ladron gorau sydd!

Dim ond pedair munud arall."

"O'r gorau!" oedd ateb y Capten bach.
"Oes angen yr holl gyffro?
Mae pedair munud fach i fynd,
ond gan eich bod mor effro ...

Siglai cwch y môr-ladron dewr
wrth i'r awyr ddechrau duo,
a phawb oedd arni'n clywed gwaedd
y pen fôr-leidr eto ...

"AMSER GWELY,
blantos!"

Trysor i'w gyfri
a rhaff i'w droi,
ffenestri i'w golchi
ac olew i'w roi!"

Siglai cwch y môr-ladron dewr
wrth i sêr y nos ddisgleirio,
a phawb oedd arni'n clywed gwaedd;
y Capten bach sy'n bloeddio ...

"AMSER GWELY,
blantos!"

"Ond Capten, y mae cwsg mor bell,

ry'n ni'n forwyr dewr, chi'n deall –

y criw môr-ladron gorau sydd!

Dim ond dwy funud arall."

"Digon!" oedd gwaedd y Capten bach,
"Peidiwch â bod mor wirion.
Dwy funud arall?
Mae hynny'n iawn –
'nôl at eich gwaith, y cnafon!

Mae golchi i'w wneud
a hetiau i'w gwnïo.
Rhaid nôl y tar –
mae tyllau i'w trwsio!"

Siglai cwch y môr-ladron dewr
wrth i'r lleuad ddechrau gwenu,
a phawb oedd arni'n clywed gwaedd
y Capten yn taranu ...

"AMSER GWELY,
blantos!"

[illegible]apten, y mae cwsg mor bell
[illegible]n forwyr dewr, chi'n deall
[illegible] mor-ladron gorau sydd[illegible]
[illegible]mud arall."

"Mawredd y môr!" medd y Capten bach,
"Un funud – dyna i gyd,
ond gan eich bod mor effro
mae mwy o waith o hyd.

Mae swper i'w wneud,
rhaid clirio pob caban,
mae gwaith yn galw
drwy'r llong yn gyfan!"

Siglai cwch y môr-ladron dewr
wrth i'w awyr fry serennu,
a phawb oedd arni'n clywed dim ...

... gan fod pob un yn cysgu.

"Mae pawb wedi blino erbyn hyn.
Nos da, fy nghriw dewr i,
a'r hen fôr-leidr bach dewraf un ...

… mae'n amser cysgu i TI!"

The Roaring Reef
Raggedy Rocks
Wicked Whirlpool
Mud Swamps
Spidery Jungle
Treasure Bay
Timber Bay
Driftwood Dock
Parrot Park
Skullabones Town
SKULLABONES ISLAND

The Dump
Vulture Gorge
Dead Man's Cave
Coconut Pit
Deadly Creek
Quicksand Pit
Stinkpot Town
Mosquito Bay
STINKPOT
ISLAND
N
W
E
S

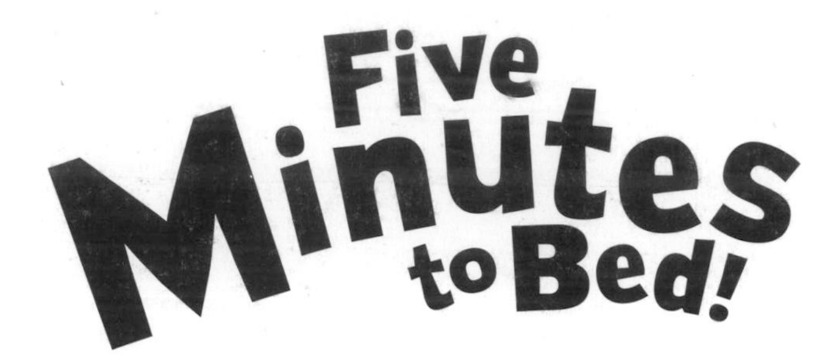

6 The pirate ship bobbed gently
as the sun set in the sky,
when all who served aboard her
heard a timber-shivering cry ...
"BEDTIME, me hearties!"

7 "But Captain, we're not tired yet,
we're terrors of the seven seas!
We're rough tough noisy pirates,
just five more minutes, please!"

8 "Not tired?" Captain Cutlass said,
"Then very well, my crew.
Five minutes more can hardly hurt,
besides, there's lots to do!

9 There's a mast to mend
and rigging to check
and one of you terrors
can swab the deck!"

10 The pirate ship bobbed gently
as the twilight slowly fell,
when all who served aboard her
heard a gangplank-rattling yell ...
"BEDTIME, me hearties!"

11 "But Captain, we're not tired yet,
we're terrors of the seven seas!
We're rough tough noisy pirates,
just four more minutes, please!"

12 "All right, all right," the captain cried,
"Pipe down, for pity's sake!
I'll let you have four minutes more,
but since you're wide awake ...

13 There's a cannon to fix
and sails to patch
and timber to varnish
and rats to catch!"

14 The pirate ship bobbed gently
as the night began to fall,
when all who served aboard her
heard a jib-boom-jiggling bawl ...
"BEDTIME, me hearties!"

15 "But Captain, we're not tired yet,
we're terrors of the seven seas!
We're rough tough noisy pirates,
just three more minutes, please!"

16 "By barnacles!" the captain cried,
"Three minutes more, you ask?
Well, as things aren't quite shipshape,
I'll find you each a task ...

17 There's treasure to count
and rope to coil
and portholes to polish
and chains to oil!"

18 The pirate ship bobbed gently
as the twinkling stars came out,
when all who served aboard her
heard a poopdeck-shuddering shout ...
"BEDTIME, me hearties!"

19 "But Captain, we're not tired yet,
we're terrors of the seven seas!
We're rough tough noisy pirates,
just two more minutes, please!"

20 "Enough, enough!" the captain cried,
"No need to go beserk.
Two minutes more will do no harm,
and so get back to work!

21 There's washing to scrub
and hats to stitch
and cracks in the hull
to seal with pitch!"

22 The pirate ship bobbed gently
as the moon peeped round the sail,
when all who served aboard her
heard a cutlass-quivering wail ...
"BEDTIME, me hearties!"

23 "But Captain, we're not tired yet,
we're terrors of the seven seas!
We're rough tough noisy pirates,
just one more minute, please!"

24 "Suffering skiffs!" the captain cried,
"All right – one minute more.
But since you're feeling full of beans,
I've chores for you galore!

25 There's supper to serve
and stores to stow
and cabins to tidy
down below!"

26 The pirate ship bobbed gently
in the moon's pale silver light,
while all who served aboard her
were as silent as the night ...

28 "Not tired, shipmates? Now you are!
Sleep well, my rough tough crew.
And now, my little pirate ...
... it's bedtime, too, for YOU!"